IRONIMUS

Architekten sind auch nur Künstler
Architects are only artists

IRONIMUS

Architekten sind auch nur Künstler
Architects are only artists

Einführung / Introduction
Ingeborg Flagge

Nachwort / Postscript
Stanley Tigerman

Ernst & Sohn

Die Veröffentlichung dieses Buches erfolgte mit Unterstützung der
Girozentrale und Bank der österreichischen Sparkassen AG, Wien.
This book was published with the support of the
Girozentrale und Bank der österreichischen Sparkassen AG, Wien.

© 1989
Wilhelm Ernst & Sohn
Verlag für Architektur und technische Wissenschaften
Berlin
ISBN 3-433-02291-7

Reproduktionen / Reproductions
Repro GmbH Fellbach, Fellbach

Satz und Druck / Type-setting and printing
Druckhaus Münster GmbH, Kornwestheim

Bindearbeiten / Binding
Karl Dieringer GmbH, Gerlingen

Gestaltung / Design
Gustav Peichl, Axel Menges

Ironimus dankt den nachstehenden Meistern für die Bereitstellung
von Abbildungen
Ironimus thanks the masters listed below for providing
illustrations

Aubrey Beardsley, Günter Behnisch, Ricardo Bofill, Helge Bofinger,
Margret Bofinger, Mario Botta, Albrecht Dürer, Richard Buckminster Fuller,
Michael Graves, Zaha Hadid, John Hejduk, Hans Hollein, Wilhelm Holzbauer,
Helmut Jahn, Josef Paul Kleihues, Leon Krier, Rob Krier, Le Corbusier,
Claude-Nicolas Ledoux, Leonardo da Vinci, Daniel Libeskind, Richard Meier,
Alessandro Mendini, Charles Moore, Adolfo Natalini, Ieoh Ming Pei,
Gustav Peichl, Wolf Prix, Aldo Rossi, Ettore Sottsass, Albert Speer,
James Stirling, Helmut Swiczinsky, Wladimir Tatlin, Heinrich Tessenow,
Oswald Mathias Ungers, Robert Venturi, Otto Wagner

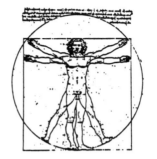

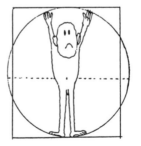

1488–1988

Ironimus und der Dorn in der Tatze des Löwen
Ingeborg Flagge

„Der Vorteil der Karikatur ist, daß dabei Fronten entstehen." (Gustav Peichl, 1989)

Hochauf ragt der von Zypressen flankierte Grabstein mit der Aufschrift „Postmoderne 1984". Davor ein Hügel, den nichts als eine quadratische Vase mit schütteren, verwelkten Blumen schmückt. Nur der Mond beleuchtet die karge Stätte.

„Das Ungers-Monument" heißt es in der Bildunterschrift. Der Architekturinformierte erkennt in dem Grabstein dann auch das Messehochhaus von Oswald Mathias Ungers in Frankfurt am Main, das Verehrer des Architekten als Wahrzeichen feiern und dessen Kritiker als Torheit bezeichnen.

Wer, fragt sich der Betrachter, findet in diesem Grab seine letzte Ruhe? Eine Architekturrichtung? Der Architekt, der sich mit diesem Haus sein eigenes Monument schuf? Und warum hat Ironimus ausgerechnet das Torhaus von Ungers zum Grabstein stilisiert?

Auf diese Fragen gibt die Karikatur keine Antwort. Das Grab schweigt – und ist doch Information genug.

Der Gondoliere im „Carneval in Venedig" mit der sein Gesicht verbergenden Maske schippert in seiner vollbeladenen Gondel ein Kunterbunt an monotonen Bauten vorbei, einige davon mit Türmchen und Wimpeln bewehrt. Ganz vorn im Boot ein Haus wie eine Kaffeekanne, die ausdrucksstärkste Fracht des ganzen Schiffes.

Wer ist der gesichtslose Bootsmann? „Aldo", der Name des Schiffes gibt die Antwort. Der Betrachter ergänzt lächelnd „Rossi". Strenge, uniforme Bauten und die Türme mit den Fähnchen sind die Markenzeichen des italienischen Architekten, der 1988 den Wettbewerb für das Deutsche Historische Museum gewann.

Ironimus übertreibt, seine Feder überspitzt. Eine Schwäche wird bloßgelegt, ein Fehler aufgespießt, hochgespielt und so überdeutlich gemacht. Die Karikatur entlarvt und demaskiert. Da können sich die aufs Korn genommenen Architekten noch so sehr hinter den modischen Fassaden ihrer Häuser verstecken – der Spott trifft sie und gibt sie dem Gelächter preis.

Doch so streitbar Ironimus seinen Geschöpfen auch auf den Leib rückt, so sehr er sie enttarnt, er fügt ihnen keine tödlichen Blessuren zu. Ironimus sticht, aber er ersticht nicht.

Der für Ironimus so wichtige österreichische Schriftsteller und Literaturkritiker Hans Weigel schrieb hierzu im Vorwort des ersten Karikaturenbandes 1956: „Der Kirchenvater Hieronymus zog, wie man weiß, dem berühmten Löwen einen Dorn aus der Tatze. Der nicht ganz so heilige Ironimus beläßt den Dorn in der Tatze des Löwen und bedient sich eines zweiten Dorns in der eigenen Rechten, um den Löwen samt Dorn graphisch zu verewigen; doch beiden liegt das Wohl des Löwen am Herzen."

Dennoch leben nicht alle Opfer des Ironimus leicht mit seiner spitzen Feder. Die Politiker, die als öffentliche Personen tagtäglich im Rampenlicht stehen und Kritik gewohnt sind, tun sich noch am leichtesten damit, daß sie dem Gelächter ausgeliefert werden. Norbert Blüm und Hans-Dietrich Genscher sind ausgesprochene Liebhaber der spöttischen Bilder. Helmut Kohl dagegen kann nichts mit ihnen anfangen. Der verstorbene Franz Josef Strauß, dessen sprachgewaltige, impulsive und zu Widerspruch herausfordernde Natur geradezu karikaturistisches „Prachtmaterial" war, haßte Karikaturisten und ging gerichtlich immer wieder gegen sie vor. Daß dies ein Eigentor war und die bösen Bildermacher erst recht provozierte, übersah der barocke Bayernchef offensichtlich.

Architekten sind ganz besonders sensible Seelchen, wenn es um Kritik geht. Die meisten reagieren pikiert, wenn der Karikaturist sie aufs Korn nimmt. Einige ganz besonders humorlose Kantonisten sind sogar auf Dauer verärgert und beleidigt.

Die Krier-Brüder allerdings können von Herzen über die ironischen Enthüllungen ihres Charakters und die Verspottung ihrer Vorbilder und Ambitionen lachen. Beide sind in diesem Buch mit treffenden Karikaturen vertreten: der dunkle Lockenkopf Leon, wie er an seinem Zeichentisch, umgeben von dicken Folianten zur Baukunst des Dritten Reiches und anderer Zeiten der großen Geste, darüber brütet, welche Bauaufgabe er nach Kindergarten, Schule, Kaufhaus, Bibliothek und Wohnhalle noch in die immer gleiche monumentale Form packen kann; und Rob im Kreis seiner „lieben Familie", die einschließlich dem zu seinen Füßen kauernden Hündchen ausnahmslos postmodern gebaute Schädel aus des Architekten Entwurfsarsenal trägt. (Vergeblich sucht man allerdings Frau Gudi. War es Galanterie, die Ironimus davon abhielt, ihr ebenfalls einen Betonkopf zu verpassen?)

Verstimmung und Wut, damit kann der Karikaturist als Reaktion auf seine Zeichnung leben. Was Ironimus unsicher macht, ist Gleichgültigkeit gegenüber seinem aggressiven Strich: „Karikaturen machen ist wie ein Säbelgefecht, in dem ich die Leute direkt attackiere. Meine größte Schwierigkeit ist, wenn sie auf meine Aggression nicht reagieren und sich zurückziehen."

Karikatur ist lebhafter, unermüdlich vorgebrachter Widerspruch, der ins Leere läuft, wenn die Reaktion ausbleibt. Die Karikatur versagt, wo sie nicht angreift, entlarvt, aufrüttelt.

„Karikatur ist", wie Monika Arndt feststellt, „niemals auf eine völlig phantastische Übertreibung ausgewesen und darf es nicht sein. Was sich in ihr offenbart, sind die scharf zu Ende gedachten Möglichkeiten einer Epoche, einer Situation, eines Menschen – je nachdem. Verhielte es sich anders, so hätten die jeweiligen Zeitgenossen ohne jede Betroffenheit immer nur gelacht."

Der Karikaturist, die von ihm attackierte Person und das Publikum, das den Spott in dem Bild mit Überraschung, Zwinkern und Lachen goutiert – in diesem Trio ist einer auf den anderen angewiesen.

Hinter Ironimus, der seit 1954 für die österreichische Zeitung *Die Presse* zeichnet und seit 1968 jede Woche der *Süddeutschen Zeitung* eine politische Karikatur liefert, verbirgt sich der bekannte Wiener Architekt Gustav Peichl.

Architekt und Karikaturist arbeiten auf unterschiedlichen Ebenen und mit unterschiedlichem Publikum. Aber die Notwendigkeit, als Ironimus des Wesentliche eines Vorgangs blitzschnell zu erfassen und reduziert auf seinen Kern als Karikatur darzustellen, hilft auch dem Architekten Peichl. Dessen bauliche Visionen sind zunächst auch nichts anderes als tastende Versuche, das Wesentliche seiner Vorstellungen in Skizzen festzuhalten, die sich erst im Laufe der weiteren Bearbeitung zu detaillierten Plänen verdichten.

Das Zeitmoment allerdings unterscheidet das Tun des Karikaturisten von dem des Architekten. Die Karikatur ist eine schnelle Information, die sich in Sekunden lesen lassen muß und „in wenigen Minuten entsteht".

Der Architekturplan dagegen braucht Zeit, um gelesen zu werden, und seine endgültige Form kann das Resultat jahrelanger Arbeit sein.

Peichl, der Architekt, und Ironimus, der Karikaturist, sind einseitig optisch ausgerichtete Augenmenschen. Die Welt und ihre Bilder sind ihre Inspiration. Auf akustische Freuden angesprochen, zitiert Peichl Karl Kraus. Als dieser einmal gefragt wurde, was er von Musik halte, dachte er kurz nach und meinte dann: „Ich habe nichts dagegen."

Der Architekt Peichl frönt der technischen Ästhetik. Seiner Meinung nach sind Bauten sachliche Gehäuse, deren Form das Resultat der organisatorisch richtigen Anordnung aller Funktionen sein sollte.

Schönheit ist für Peichl nicht der Reiz der Fassade, sondern sinnvoller und stimmiger Ausdruck innerer Ordnung. Die Symbiose von Technik und gestaltetem Raum läßt Peichl von „sinnlicher Architektur" sprechen – „sinnlich" verstanden als lebendige Übereinstimmung von Form, Funktion, Material, Licht und Farbe.

Das Ergebnis sind einprägsame Bauten, die reich sind an bildhafter Sprache: Die industriell vorgefertigten Studios für den österreichischen Rundfunk gleichen außen weißen Dampfern und innen glitzernden Raumstationen. Der halb unterirdische Bürotrakt der Erdefunkstelle Aflenz wirkt wie ein kreisrundes Unterseeboot, das langsam aus einer grünen See von Gras an die Oberfläche taucht. Die Phosphateliminationsanlage in Berlin-Tegel hat Ähnlichkeit mit einem vor Anker gegangenen weißen Schiff. Die kürzlich fertiggestellte Wohnanlage in ihrer Nachbarschaft erinnert an zusammengeschobene Bügeleisen, die eine Attacke reiten. Für die im Bau befindliche Bundeskunsthalle in Bonn hat sich Peichl drei das Dach überragende kegelförmige Lichttürme einfallen lassen, die an orientalische Vorbilder erinnern.

„Architektur ohne Poesie ist keine gute Architektur", sagt Peichl dazu.

Sowenig sich Architekt und Karikaturist voneinander trennen lassen, bei einem Projekt war Peichls Doppelnatur als bildreicher Architekt und ironischer Karikaturist des Zeitgeschehens ganz besonders herausgefordert. 1984 wurde nach einem ebenso geistreichen wie unkonventionellen Entwurf des Architekten für den Besuch des Papstes in Wien eine Bühne auf dem Heldenplatz vor der Hofburg errichtet. Auf dieser Bühne standen nebeneinander der Papstthron und das sonst den Platz allein beherrschende Reiterstandbild des Prinzen Eugen, der bekanntlich das christliche Abendland vor den Türken rettete. Ein Fernsehschirm, umgeben von einer weißen Wolke, schwebte über dem Papstthron und führte der wartenden Menge den Heiligen Vater von dem Moment an vor, als er dem Hubschrauber etliche Blocks weit weg entstieg. Der Papst als Held eines hintergründigen Medienspektakels – ein Fest für den Architekten wie den Karikaturisten.

Peichl, glühender Anhänger der Überzeugung, daß Architekten Künstler zu sein haben, ist seit 1973 Professor an der Akademie der bildenden Künste in Wien. Mit viel Zeit und Hingabe sucht er den Studenten seiner Meisterklasse zu vermitteln, was gute Architektur ist: eine konkrete Kunst, deren Qualität nicht als bunte Zeichnung auf dem Papier deutlich wird, sondern in der Erprobung an der Wirklichkeit.

Architektur heute – das sind viele Richtungen und Stile: von der dahinsiechenden Postmoderne, die inzwischen auch die letzte Sparkasse auf dem Lande erreicht hat, über die kühle High-Tech-Perfektion, die die Ordnung der Architektur der Unordnung der Welt entgegensetzt, bis hin zum Dekonstruktivismus, der vor der Unordnung der Welt kapituliert hat. Peichl läßt sich von keiner dieser Richtungen vereinnahmen. Mißtrauisch gegenüber jeder Kategorisierung ist er nur durch Qualität zu überzeugen. Ist diese gegeben, läßt Peichl jede Form gelten und setzt sich für sie ein. Als Wettbewerbsjuror ist er wegen seiner scharfen Zunge und seines hartnäckigen Einstehens für einen Entwurf deshalb landauf, landab gefürchtet.

Der Architekt Peichl kritisiert seine Kollegen erbarmungslos. Der Karikaturist Ironimus hat gegenüber dem Heer seiner Architektenkollegen, die jeder Mode hinterherlaufen, eher Mitleid. Der wie ein Packesel mit Architektur jeder Form beladene Architekt zögert am Wegweiser. Soll er postmodern, neomodern, paramodern oder spätmodern weitermarschieren oder aber schlicht dem Schild „modern" folgen?

„Architekten sind auch nur Künstler" ist der Titel dieses Buches, eine Persiflage der Redewendung, daß Künstler auch nur Menschen sind, Menschen, die dauernd in der Erklärung und Verteidigung ihrer selbst und ihres Werkes begriffen sind, die zwischen rührender Unsicherheit oder überheblicher Arroganz schwanken, die zeitweise eigenartig selbstsicher wirken, aber nach jedem Auftritt gieren wie ein Verdurstender nach dem rettenden Wasser. „Ein Künstler muß so sein", sagt Peichl. „Wenn er gut ist, ist er seiner Sache nie sicher."

Weil sie aber gerade diese kreative Unsicherheit nicht aushalten, greifen viele Architekten zu schnellen, zu vordergründigen Lösungen oder wenden sich jede Woche einer neuen Architektur zu.

Diese Verirrten, die Architektur wie Kleider nach Schnittmusterbögen kopieren, die trotz heftigen Nachdenkens bei jeder neuen Bauaufgabe auf die bewährte Kiste zurückkommen, die sich im Gestrüpp der ihnen zur Verfügung stehenden Stile verhaken und verwirren – diesen Armen gilt Ironimus' angriffslustiges Mitgefühl.

Ironimus' Architekten sind mißmutig dreinschauende Gestalten, meist mit Schnauzbart, Fliege, Dreieck und Meßschiene. Einer ist mit einem Königsmantel bekleidet und balanciert auf dem Kopf ein korinthisches Kapitell als Krone. Der „Neomonumentalist" trägt als Hut die Kuppelhalle von Abert Speer für Berlin. Den „postmodern sprechenden" Architekten ziert als Kopfbedeckung die Zeichnung zu einer Kirche von Leonardo da Vinci. Die beiden „Postrevolutionäre" zeigen sich mit Entwürfen von Tatlin und Ledoux behütet. Die „Frankfurter Kulissenträger" spielen im Architektenkarneval hinter postmodernen Masken mit.

Neben dem Mischmasch an architektonischen Kopfgeburten attackiert Ironimus auch die häufige Diskrepanz zwischen dem Wollen und dem Tun der Architekten. Da wohnen sie nun cool und karg in sterilen Architekten-Eigenheimen, träumen aber in Wirklichkeit von der Jugendstilvilla, die als „Villa Sehnsucht" die nackte Wand ihres Wohnzimmers schmückt.

Wenn Oswald Mathias Ungers als „Puppe in der Puppe" in seinem als „Haus im Haus" konzipierten Frankfurter Architekturmuseum gezeigt wird, wenn James Stirling als Zeitungsbudenbesitzer Architekturpläne wie Journale aus aller Welt verkauft, wenn sich Hans Hollein als hochdekorierter Affe mit Krone und arabischem Gesichtsschleier in die Palmen seines Wiener Verkehrsbüros flüchtet, dann freut sich der Betrachter diebisch an Ironimus' aggressivem Witz und verlangt nach mehr. Karikaturen machen süchtig.

„Karikatur ist keine Kunst, aber können muß man's", meinte kürzlich Ernst Maria Lang bei der Eröffnung einer Ausstellung seiner Karikaturen in Bonn. Lang ist wie Ironimus von Beruf Architekt – eine nicht seltene Paarung, die es auch früher schon gegeben hat. Bruno Paul und Saul Steinberg, in deren Tradition Ironimus einzuordnen ist, waren ebenfalls namhafte Karikaturisten und begabte Architekten.

Jeder gute Karikaturist sucht den eigenen, unverwechselbaren Strich. Der eine ist prall und kraftvoll, der andere zart wie ein Spinnfaden. Ironimus' fast krakelige Linien erinnern an Kinderzeichnungen. Was dort aber Harmlosigkeit und Unvermögen ist, ist in seinem Fall sich naiv gebende Durchtriebenheit.

Ironimus and the thorn in the lion's paw
Ingeborg Flagge

"The advantage of caricature is that it creates fronts."
(Gustav Peichl, 1989)

The tall tombstone is flanked with cypresses and carries the inscription "Post-Modern 1984". The only decoration on the mound in front of it is a square vase containing a few straggly, fading flowers. This bleak scene is lit only by the moon.

The caption is "The memorial to Ungers". Anyone who knows anything about architecture will realize that the tombstone is Oswald Mathias Ungers's skyscraper building for the Frankfurt Fair, a celebrated landmark for the architect's admirers, a folly to detractors.

Who, the person looking at the cartoon wonders, is in this grave? An architectural movement? The architect himself, having created his own tombstone by designing this building? And why has Ironimus chosen Ungers's gatehouse of all buildings as a stylized tombstone?

There is no answer to these questions. The grave is silent – and that is all we need to know.

The masked gondolier in "Carnival in Venice" is poling a higgledy-piggledy arrangement of modern buildings along in his gondola, some decorated with little towers and flags. Right at the front of the boat is a building like a coffee-pot, the most distinctive item in the entire load.

Who is this faceless boatman? "Aldo", the name of the gondola, gives us the answer. The person looking at the cartoon smiles and supplies the surname: "Rossi". Severe, uniform buildings and towers with little flags are the trademarks of this Italian architect who won the competition for the Deutsches Historisches Museum in 1988.

Ironimus exaggerates, his pen produces overstatement. A weakness is revealed, a mistake wriggles on a pin, magnified and thus excessively clear. Caricature strips bare and unmasks. However much the architects he lampoons hide behind the modish façades of their buildings, they are hit by the darts of his mockery and this makes people laugh at them.

But however aggressively Ironimus attacks his creatures, however completely he unmasks them, the wounds he inflicts are never fatal.

The Austrian writer and critic Hans Weigel, of whom Ironimus thinks very highly, remarks in the foreword to a first volume of cartoons published in 1956: "Everyone knows that Hieronymus, one of the early fathers of the church, was famous for taking a thorn out of a lion's paw. Ironimus, who is less of a saint, leaves the thorn in the lion's paw and uses a second thorn in his own right hand to preserve both lion and thorn graphically for posterity; but both men are concerned with the well-being of the lion."

But not all Ironimus's victims find it easy to live with so sharp a pen. Politicians are public figures, used to being in the limelight every day and confronting criticism. They find it easier than most people to put up with being laughed at. Norbert Blüm and Hans-Dietrich Genscher in particular are very fond of being satirized in this way, but Helmut Kohl cannot stand it at all. The late Franz Josef Strauß hated cartoonists, and was always taking them to court, even though his powerfully individual use of language and impulsive, controversial spirit made him absolutely splendid "cartoon fodder". The baroque Bavarian leader obviously didn't realize that he was scoring an own goal by litigation, and simply provoking the naughty draftsmen all the more.

Architects are particularly sensitive to criticism, and most of them are piqued when attacked by cartoonists. Some have absolutely no sense of humour and simply find such attacks irritating and offensive.

The Krier brothers are two people who are able to enjoy laughing at ironic revelations of their character and mockery of their ideas and ambitions. Both appear in accurate and witty drawings in this book: Leon with his dark mass of curly hair, at his drawing board, surrounded by thick tomes on the architecture of the Third Reich and other periods susceptible to the grand gesture, brooding over what further commission, to follow kindergarten, school, department store, library and residence, he can force into the mould of exactly the same design, and brother Rob with his "dear family" who all, including the little dog cowering at his feet, have Post-Modern heads drawn from the architect's design arsenal. (His wife Gudi is nowhere to be found,

however. Was it gallantry that stopped Ironimus from kitting her out with a concrete head as well?)

A cartoonist does not mind if his drawings are received with annoyance and rage. What worries Ironimus is complete indifference to his aggressive line: "Drawing cartoons is like fighting with sabres, it is a direct attack on people. My greatest difficulty is if they withdraw, and do not react to my aggression at all."

Caricature consists of lively contradictions, tirelessly produced, and they trickle into nothingness if they provoke no reaction. Caricature fails if it doesn't attack, unmask, shake people up.

"Caricature", Monika Arndt pointed out, "has never aimed at completely outrageous exaggeration, and never should do so. What it reveals are the possibilities of a period, a situation, a person, or whatever, clearly thought through to a conclusion. If it were any different contemporaries would just laugh, and not feel affected in any way."

The cartoonist, the person caricatured and the audience surprised by the picture's mockery into a twinkle in the eye, and then laughter – each member of this trio needs the others.

Ironimus – who has been drawing for the Austrian newspaper *Die Presse* since 1954 and has provided a political cartoon for the *Süddeutsche Zeitung* every week since 1968 – is none other than the well-known Viennese architect Gustav Peichl.

Architect and cartoonist work on different levels and for a different audience. But the need to capture the essentials of a process in a flash in the guise of Ironimus, and then present its very kernel in cartoon form, also helps Peichl as an architect. At first his architectural insights simply grope towards capturing the essentials of a process in sketches. Finished plans then require further work.

The time aspect certainly shows the difference between cartoonists' and architects' activities. A cartoon is rapidly conveyed information, which must be able to be read in seconds and "is drawn in a few minutes". But architectural plans take time to read and in their final form can be the product of years of work.

Peichl, the architect, and Ironimus, the cartoonist, are both people who live exclusively by the eye. Their inspiration is the world and its images. If asked about the pleasures of listening, Peichl quotes Karl Kraus, who once, when asked about his views of music, thought for a moment and then said: "I have nothing against it."

Peichl the architect is a slave to technical aesthetics. In his opinion buildings are neutral casings, and their form should be the result of the correct diposition and organization of all their functions.

For Peichl, beauty does not lie in the attractions of the façade, but in the sensible and correct expression of an inner order. Symbiosis of technology and ordered space permits Peichl to speak of "sensuous architecture", "sensuous" being understood as the living accord of form, function, material, light and colour.

This produces striking buildings rich in pictorial language: the industrially prefabricated studios for Austrian Radio look like white steamers from outside and glittering space stations inside. The half-underground office suite of the Afflenz earth signalling station is like a circular submarine slowly surfacing from a sea of green grass. The phosphate elimination plant in Berlin-Tegel is rather like a white ship at anchor. The recently completed residential building nearby is reminiscent of telescoped domestic irons riding to the charge. For the Bundeskunsthalle in Bonn, currently under construction, Peichl has dreamed up three conical light towers high over the roof, and these are reminiscent of oriental models.

"Architecture without poetry is not good architecture", is Peichl's comment on this.

It is impossible to separate architect and cartoonist, but there was one project in which Peichl's dual nature as powerful architect and ironic cartoonist was subjected to a particular challenge. In 1984 he produced a design that was as witty as it was unconventional for a stage on the Heldenplatz outside the Hofburg for the Pope's visit to Vienna. Next to each other on the stage were the Papal throne and the equestrian statue of Prince Eugene, usually allowed to dominate the square on its own (it is well-known that Eugene delivered the Christian West from the Turks). A television screen surrounded by a white cloud hovered above the Papal throne and showed the crowd the Holy Father from the moment when he got out of his helicopter several blocks away. The Pope as hero of a cryptic media spectacle, a feast for architect and cartoonist alike.

Peichl is a fervent supporter of the view that architects should be artists. He has taught architecture at the Akademie der bildenden Künste in Vienna since 1973. He tries to communicate what architecture is to the students in his master class, spending a great deal of time and showing considerable dedication. What he presents is a concrete art: its quality is not apparent in a coloured drawing on paper, but only when it is tested against reality.

Architecture today follows a number of trends and styles: from gradually fading Post-Modernism, which despite its terminal condition still seems to have managed to reach every little rural bank, via cool high-tech perfectionism, setting the order of architecture against the disorder of the world, through to Deconstructionism, which has capitulated in the face of the disorder of the world. Peichl will not be placed in any of these categories. He is mistrustful of classification, and open to conviction only through quality. If quality is there, Peichl accepts every form and makes it work for him. As a juror for countless competitions his sharp tongue and stubborn defence of a design are feared the length and breadth of the land.

Peichl the architect is a merciless critic of his colleagues. Ironimus the cartoonist rather seems to pity these poor souls as they chase after this and that fashion. An architect laden like a pack mule with architecture in every shape and form is hesitating at a signpost. Should he follow Post-Modern, Neo-Modern, Para-Modern or Late-Modern, or simply choose Modern?

"Architects are only artists" is the title of this book, a humorous version of the saying that artists are only human beings, human beings constantly seeking to explain and defend themselves and their work, hovering between touching uncertainty and overbearing arrogance, sometimes seeming remarkably self-confident, but craving for each new stage in their work like a man in a desert for water. "An artist has to be like that", says Peichl. "If he's good, he is never certain of what he is doing."

But many artists can't stand this creative uncertainty, and so they seize on speedy, superficial ideas, or turn to a new style of architecture every week.

These lost sheep, who copy architecture like clothes from patterns, who think desperately hard but still come back to their tried and tested baggage for each new building, and who become entangled and confused in the undergrowth of styles at their disposal, these are the poor souls at whom Ironimus's belligerent pity is aimed.

Ironimus's architects peer discontentedly at the world. They usually have droopy moustaches and bow ties, and carry set-square and measuring devices. One is dressed as a king, balancing a Corinthian capital on his head as a crown. The "Neo-monumentalist" wears Albert Speer's great dome designed for Berlin as a hat. The "Post-Modern speaking" architect wears a drawing of a church by Leonardo da Vinci as a decorative head-dress. The two "Post-revolutionaries" are shown with hats made to designs by Tatlin and Ledoux. The "Frankfurt set-carriers" are taking part in the carnival of architecture behind Post-Modern masks.

Along with the frightful mixture of creations springing from the heads of architects, Ironimus also attacks the frequent discrepancy between their intentions and what they actually produce. They design cool, spare and sterile houses for themselves, then dream of an Art Nouveau villa of which they have a picture adorning the bare wall of their living room, entitled "Villa of my dreams".

When Oswald Mathias Ungers is shown as "doll within a doll" in his Frankfurt Architecture Museum conceived as a "building within a building", when James Stirling appears as a news-stand owner selling architectural plans like journals from all over the world, when Hans Hollein flees dressed as a highly-decorated monkey into the palms of his Vienna tourist office, then the person looking at the cartoon is fiendishly pleased by Ironimus's aggressive wit, and wants to see more. Cartoons are addictive.

"Caricature is not an art, but you have to be able to do it", said Ernst Maria Lang at the recent opening of an exhibition of his cartoons in Bonn. Like Ironimus, Lang is an architect by profession – this is not a rare combination, and occurred quite frequently in the past as well. Bruno Paul and Saul Steinberg, into whose tradition Ironimus fits, were also distinguished cartoonists and talented architects.

Every good cartoonist tries to find an unmistakable line of his own. One will be firm and powerful, another as delicate as a spider's web. Ironimus's almost scribbled lines are reminiscent of children's drawings. But where the latter are harmless and incompetent, Ironimus's work is based on cunning posing as *naïveté*.

Der Vogel des Architekten / The architect's bird

Deutsches Historisches Museum, 1989

Post-Modern spoken   Postmoderner Regent / Post-Modern regent

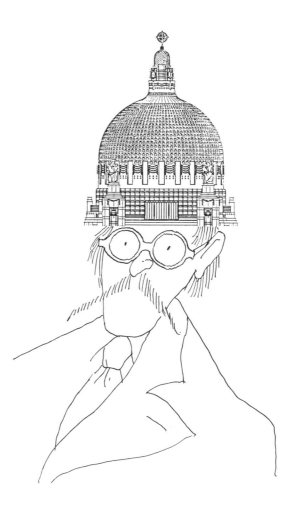

Neomonumentalist / Neo-monumentalist   Postwagnerianer (Otto) / Post-Wagnerian (Otto)

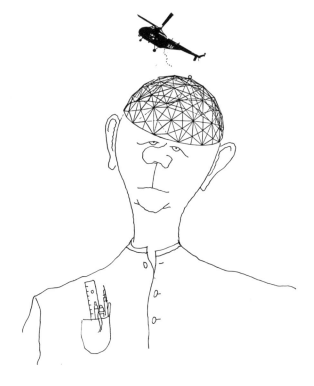

Neoionischer Stilist / Neo-Ionic stylist   Konstruktiver Progressist / Constructive progressivist

Postwagnerianer / Post-Wagnerian   Postrevolutionsarchitektin / Post-revolutionary woman architect

Zwei Postrevolutionäre / Two post-revolutionaries

I. M. Pei, Held der Revolution / I. M. Pei, hero of the revolution

7. Jhd. schägt 20. Jhd. k.o. / 7th century knocks out 20th century

Klassischer Clown und modernistischer Clown / Classical clown and Modernist clown

MESSALINA und der geile Techniker — nach Beardsley   IRONIMVS

Messalina und der geile Techniker / Messalina and the lascivious technician

Beardsley grüßt Helmut J. / Beardsley greeting Helmut J.

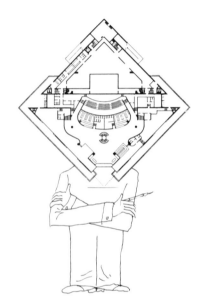

Verwirrter Neokonstruktivist / Confused Neo-Constructivist   Verquerer Grundrißspezialist / Cross-headed ground-plan specialist

DREIKLANG DER BILDENDEN KÜNSTE

iRONIMUS

Dreiklang der bildenden Künste / Triad of the fine art

Die Wacht am Leonardo / The watch on the Leonardo

Stilbildender Architekturunternehmer / Style-generating architectural entrepreneur

Terrassenhausspezialist / Terrace-house specialist

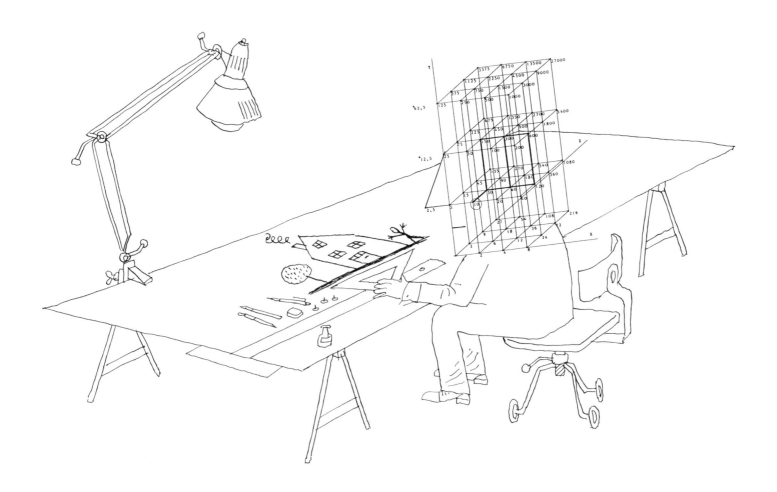

Kontraproduktiv / Counterproductive

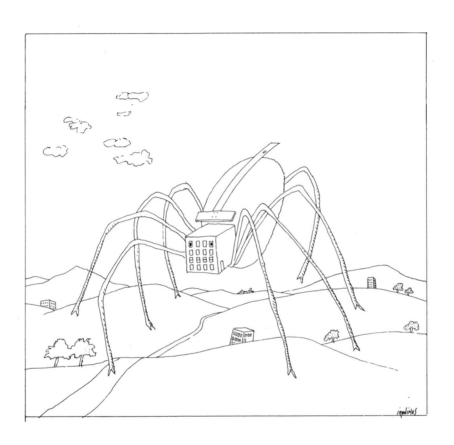

Die Architektenspinne / The architect spider

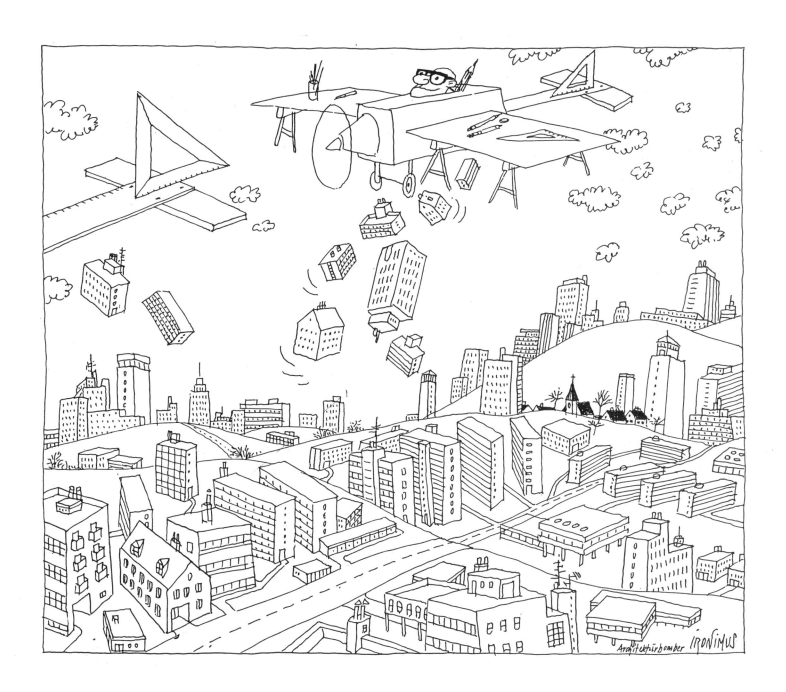

Architekturbomber / Architecture bomber

Das alte Penthouse / The old penthouse

Das Baumhaus / The tree-house

Der Technokrat / The technocrat

DAS IST DAS FERIENHAUS
DES VERWIRRTEN TECHNIKERS!

IRONIMVS 78

Das ist das Ferienhaus des verwirrten Technikers / This is the confused technician's holiday home

Röhrenphobie / Pipe phobia

RÖHRENARCHITEKTUR   IRONIMUS

Röhrenarchitektur / Pipe arcchitecture

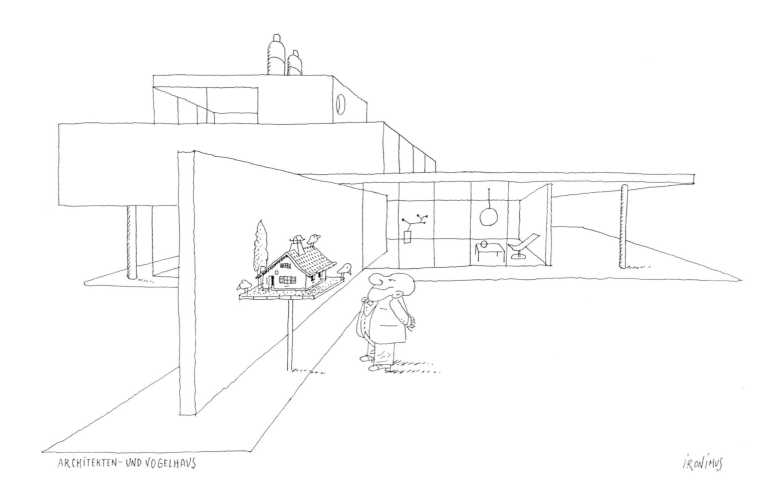

ARCHITEKTEN- UND VOGELHAUS

IRONIMUS

Architekten- und Vogelhaus / Architect's and bird's house

IRONIMUS nach Tessenow   Tempora mutantur...

Tempora mutantur

Quo vadis?

Architecture made in Germany

Deutsches Maskenfest / German masked ball

Frankfurter Kulissenträger / Frankfurt set-carriers

Life-style

Sehnsucht / Longing

Hommage à Ettore Sottsass

Nostalgie / Nostalgia

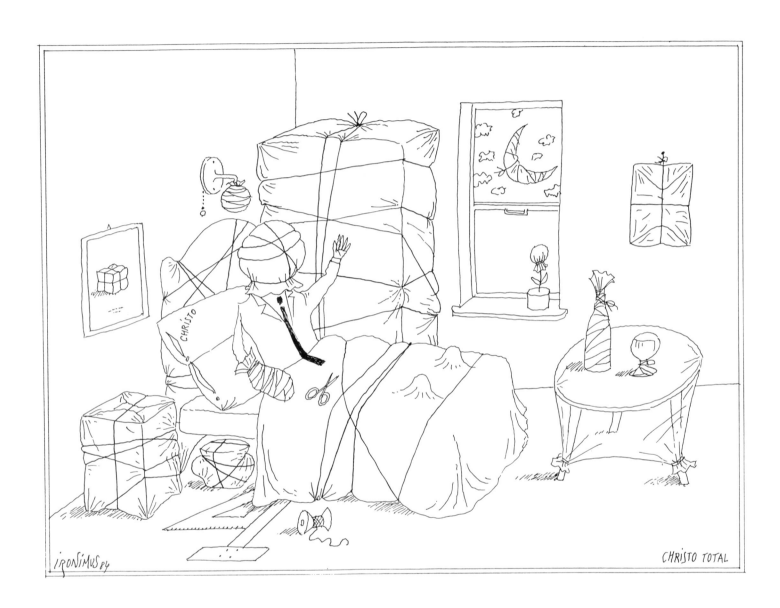

Christo total / Total Christo

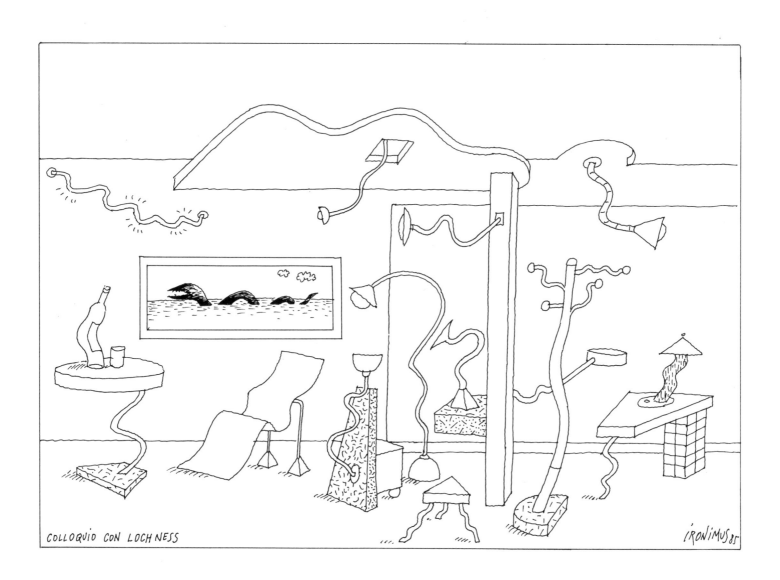

Colloquio con Loch Ness

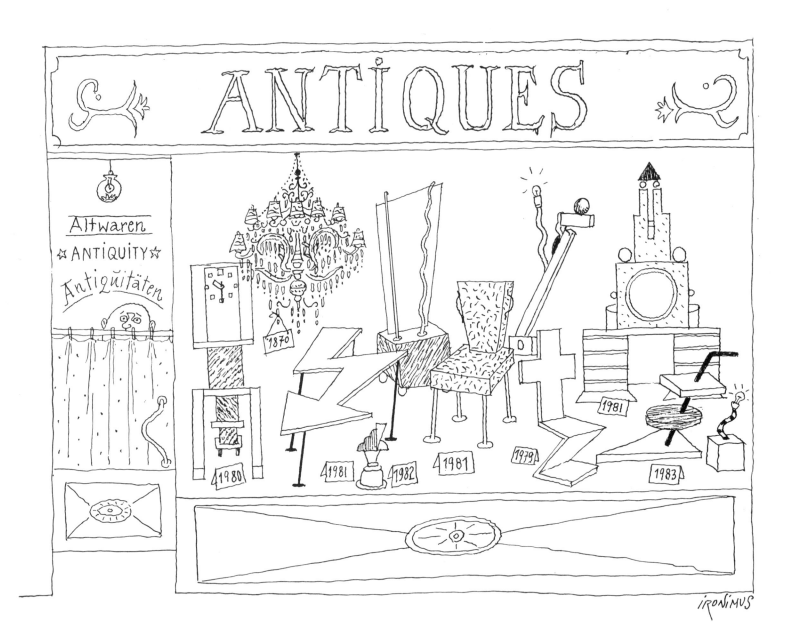

Neoantiquariat / Neo-Antique shop

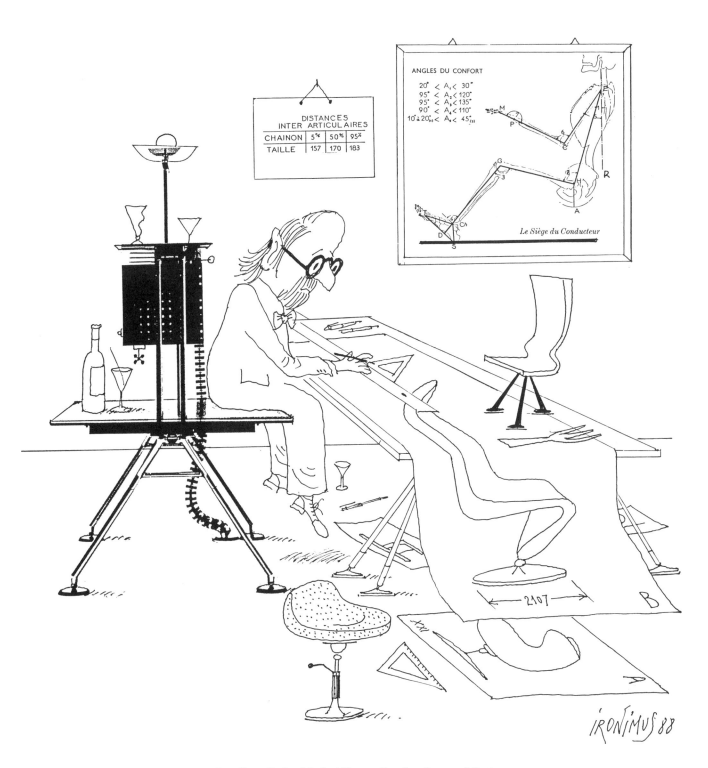

Der Sitzmöbelarchitekt / The seating-furniture architect

Der Mobile-Fetischist / The mobile fetischist

„Villa Sehnsucht"

IRONIMUS

Villa Sehnsucht / Villa of my dreams

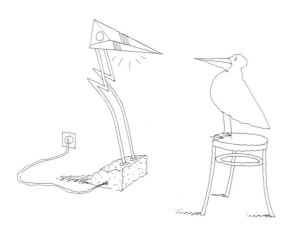

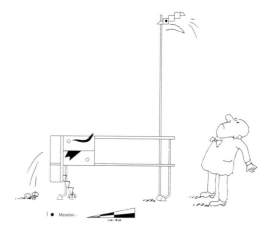

Eine Leuchte und ein Vogel / A light and a bird   Mendini was here

REM KOOLHAAS TRIFFT OMA

Rem Koolhaas trifft OMA / Rem Koolhaas meeting OMA

Suum cuique I

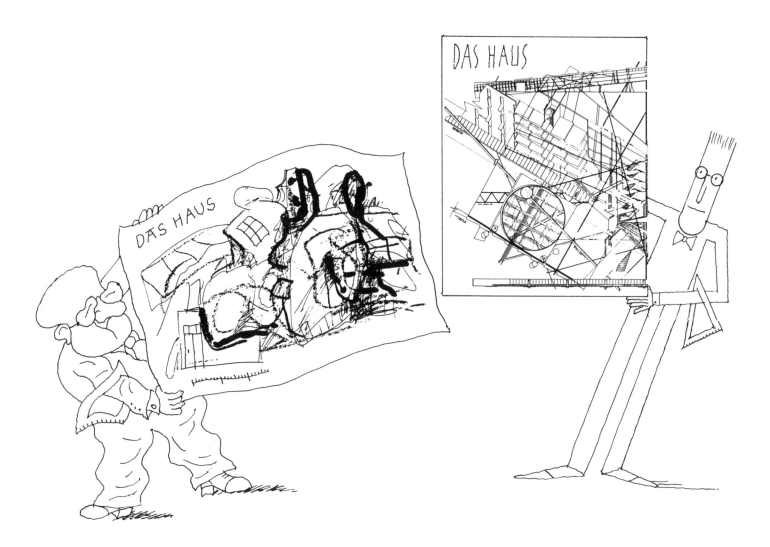

Suum cuique II

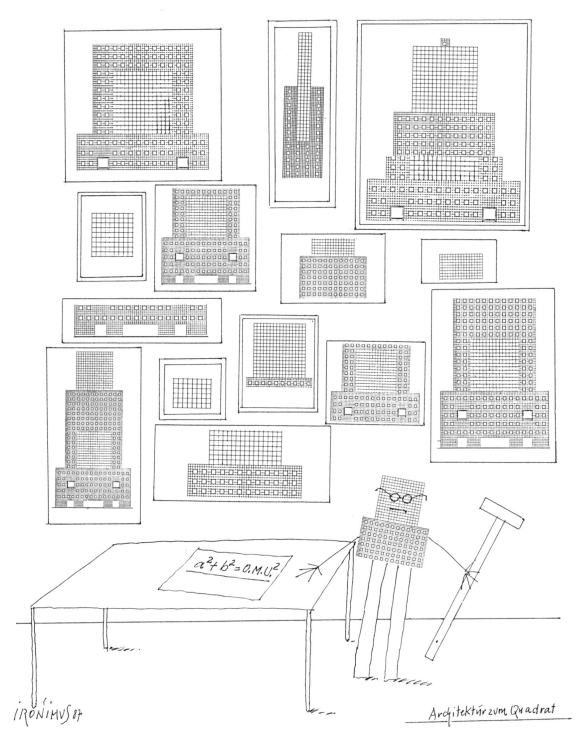

$$a^2 + b^2 = O.M.U.^2$$

IRONIMVS 87

Architektur zum Quadrat

Architektur zum Quadrat / Architecture squared

Das Ungers-Monument / The memorial to Ungers

Pneumatische Architektur / Pneumatic architecture

Der Architekturschreiber / The architectural writer

Richard Meier

Hommage à Richard Meier

Hommage à John Hejduk

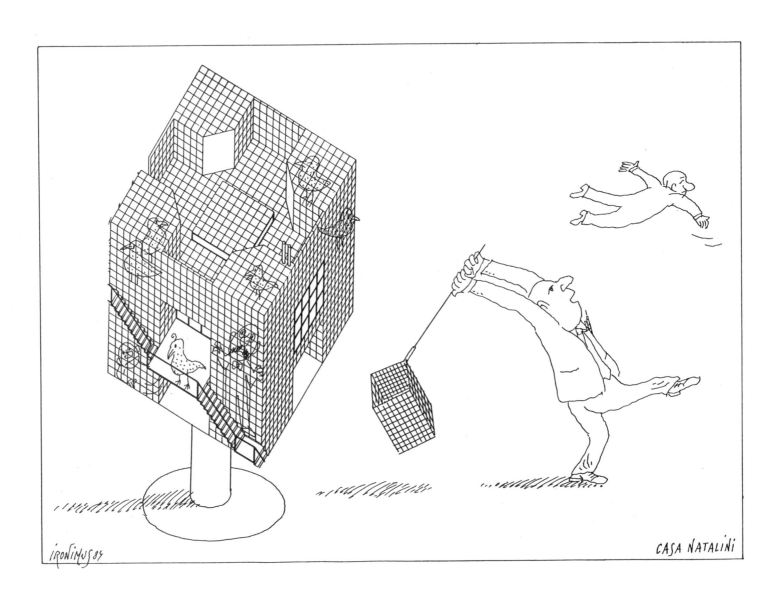

Casa Natalini

Secondbest

Ganz, ganz alter Meister / Very, very old master

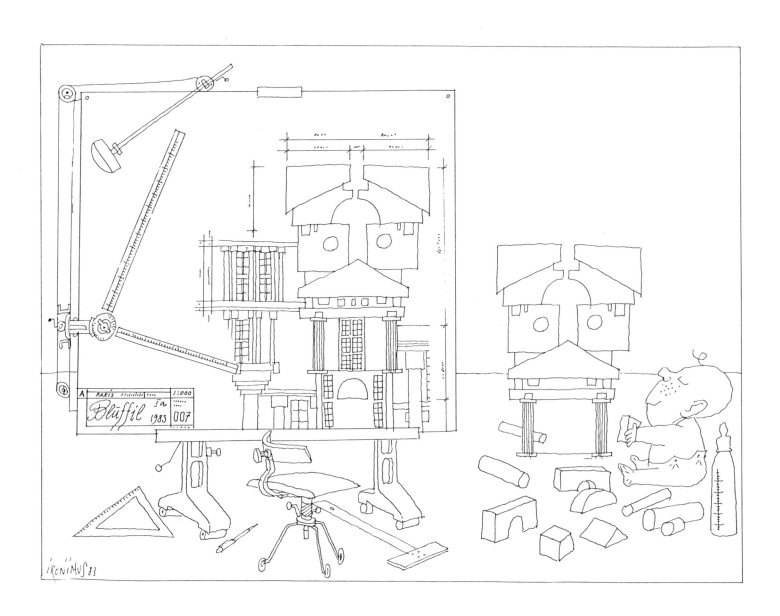

Monumentalbaby / Monumental baby

Der große Holzbauer / The great Holzbauer

Hommage à Hans Hollein

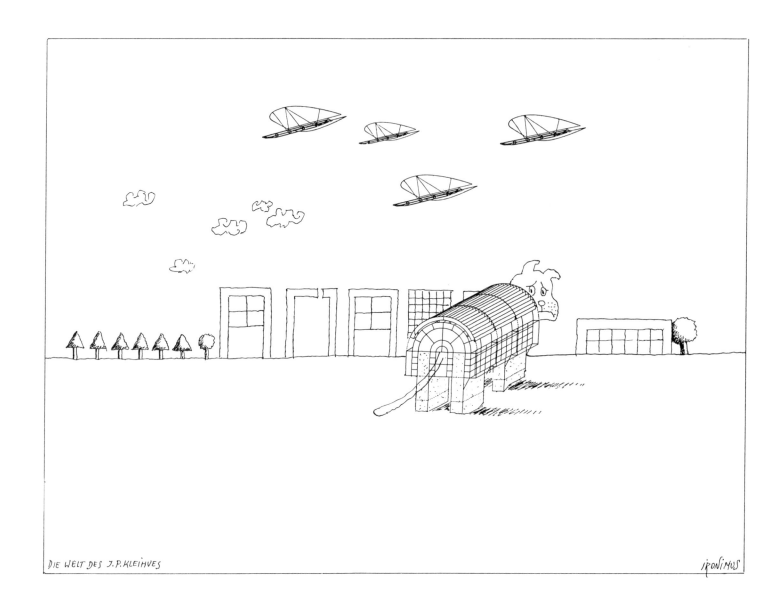

IRONIMUS

Die Welt des J.P. Kleihues / The world of J.P. Kleihues

Carneval in Venedig

Carneval in Venedig / Carnival in Venice

Hommage à Charles Moore

IBA-Architekt   IRONIMUS 81

Der IBA-Architekt G.P. / IBA architect G.P.

Die Puppe in der Puppe!

Hommage à O.M.U.   IRONIMUS 84

Die Puppe in der Puppe / Doll within a doll

Mode-Architekt /nach Venturi

IRONIMUS 84

Mode-Architekt / Fashionable architect

Die liebe Familie / The dear family

Hommage à Leon

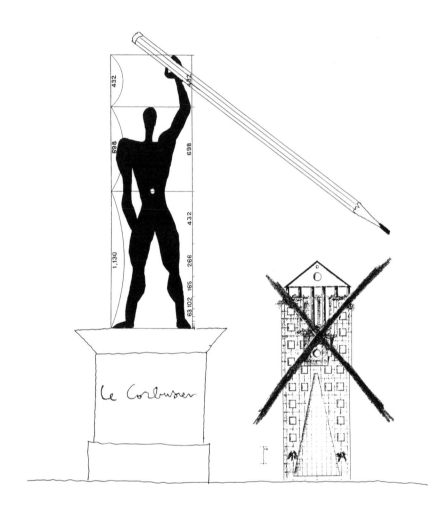

Le Corbusier

Hommage à Le Corbusier

Big Jim

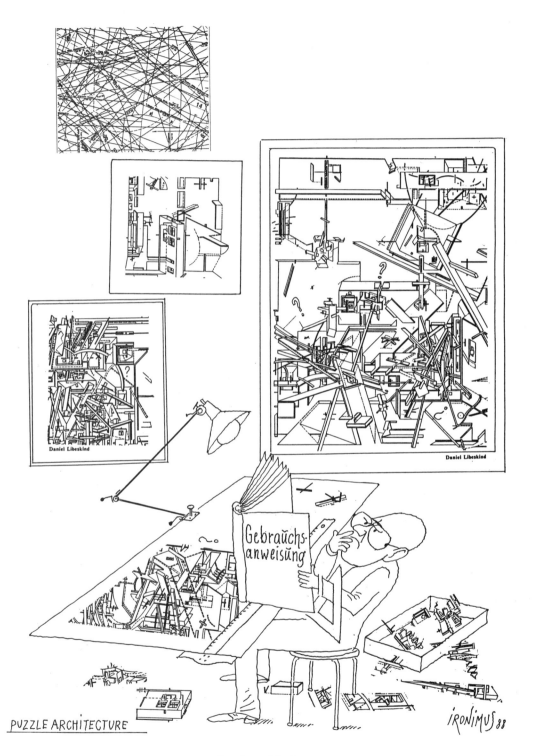

Puzzle architecture

EUROPA – AMERIKA   IRONIMUS

Europa – Amerika / Europe – America

Vision im Tessin

IRONIMUS 83

Vision im Tessin / Vision in the Ticino

„The greyhound" nach A. Dürer / "The greyhound" after A. Dürer

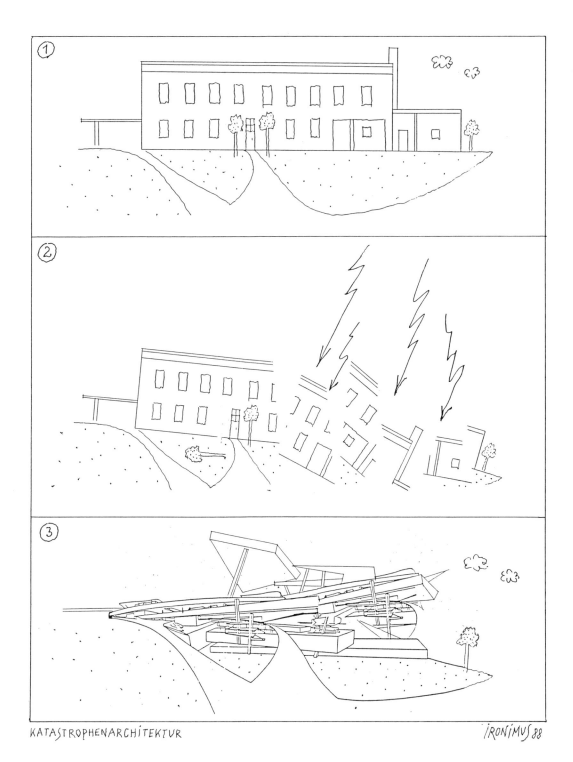

KATASTROPHENARCHITEKTUR   IRONIMUS 88

Katastrophenarchitektur / Catastrophe architecture

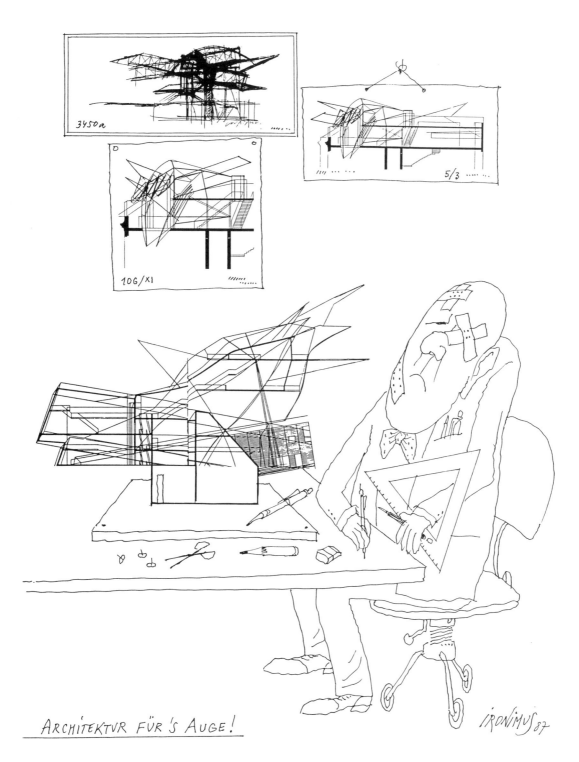

Architektur für's Auge / Architecture for the eye

Frankfurter Hochausprobleme / Frankfurt skyscraper problems

Hochhauszüchter / Skyscraper breeder

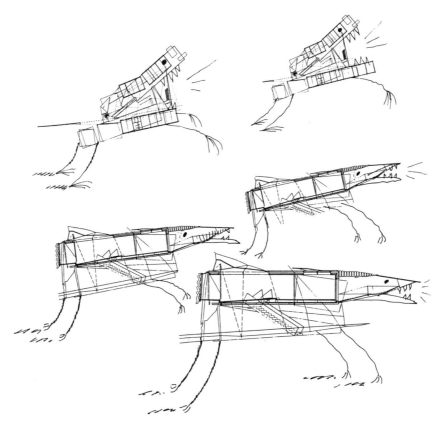

DEKONSTRUKTIVISTISCHE MEUTE

IRONIMUS 89

Dekonstruktivistische Meute / Deconstructivist pack

Gruß aus Wien / Greetings from Vienna

Bemerkungen eines Ironikers über einen anderen
Stanley Tigerman

Als Österreicher ist Gustav Peichl in einem weitaus höheren Maß schizophren, als irgendein vergleichbarer Amerikaner es sich je im Traum für sich vorstellen könnte. Einerseits sind seine Bauten streng, anspruchsvoll und im allgemeinen todernst, ohne allerdings irgendwann langweilig zu werden. Seine Studiobauten für den österreichischen Rundfunk und sein Berliner Wasserfiltrierwerk zum Beispiel sind gründliche Studien der Materialmöglichkeiten, die seine Vorgänger in der modernen Bewegung voll Hoffnung erschlossen hatten. Diese Gebäude sind erfrischende Beispiele dafür, wie die Moderne der Architektur immer noch Wege erschließt, sich ohne Metapher, Metonymie und all den semantischen Ballast, der dem Schaffen der Postmoderne anhaftet, zu entwickeln.

Wie die gesamte moderne Architektur ist Peichls gebautes Werk in seiner Intention optimistisch; diese klinisch konzipierten Bauten scheinen dazu bestimmt, sämtliche Übel der vorausgegangenen Epoche zu beseitigen. Peichl zeigt sich somit als Erbe jener noch im alten Jahrhundert geborenen Heroen, die – gleich ihm – Europa als geeigneten Kampfplatz für die Auseinandersetzung mit einem früheren Elitedenken ansahen. Sie fochten einen „Krieg der Sterne" gegen Obrigkeit und Kirche, die das sich herausbildende Gleichheitsstreben unterdrückten, welches sie als den Zeitgeist unseres Jahrhunderts ansahen.

Andererseits sind Peichls ironische Karikaturen in ihrer Intention überaus semantisch. Die bizarren, oft hysterisch anmutenden Zeichnungen dienen ihm offenbar dazu, sich aus dem Getümmel abzusetzen und sowohl persönlichen als auch beruflichen Abstand zu seinesgleichen zu schaffen. So sind die herrlichen gezeichneten Kommentare ein Zeichen von Argwohn, obwohl sie entwaffnen. Mit einem Wort: Sie zeugen von einer finsteren Seite bei Peichl, die in seinem Architekturschaffen nicht sichtbar wird.

Peichls Zeichnungen sind „komisch", aber keineswegs frivol. Oft spricht aus ihnen eine Hoffnungslosigkeit, die in seiner Architektur nicht einmal vage anklingt. Die heruntergezogenen Mundwinkel von Vitruvs unglaubwürdigem Abkömmling sprechen von der Frustration dieses Geschöpfs, das unfähig ist, etwas Schlüssiges zustande zu bringen – ein betrüblicher Kommentar zum Zustand der heutigen Zeit.

Peichls Karikaturen spielen häufig rein subjektiv auf den Gegenstand an. Davon zeugt der „Neomonumentalist", der Albert Speers (und Adolf Hitlers) Große Kuppelhalle für Berlin auf dem Kopf trägt. Ebenso „Casa Natalini", wo Adolfo Natalini den Benutzer einzufangen sucht, um ihn in sein alles beherrschendes Gitterwerk zu stecken. Desgleichen „Puzzle Architecture", wo sich der Betrachter sichtlich abmüht, die geheimen Fäden von Daniel Libeskinds Spielart der „dekonstruktivistischen" Architektur zu entwirren. Und schließlich „Dekonstruktive Meute" – hier ist Libeskinds IBA-Projekt in Gestalt zähnefletschender, den angstvollen Betrachter jagender Ungeheuer zum Leben erwacht.

Wie alle Europäer verleugnet Peichl seine dialektischen Ursprünge nicht. Die Karikatur mit dem glücklichen und dem traurigen Clown zeigt die unbekümmerte Freude der Postmoderne gegenüber dem Weltschmerz des Dekonstruktivismus. Noch deutlicher gegen Amerika gerichtet sind die beiden (europäischen) Clowns, die über eine (kleine) Fläche (den Atlantik?) hinweg auf einen anderen Clown (eindeutig Michael Graves) blicken, dessen Portlandia-Kostüm seine europäischen Kollegen in Erstaunen versetzt.

Am ausgeprägtesten ist freilich Peichls autoritäres Erledigen der Konkurrenz. Daß er Oswald Mathias Ungers' Erklärung, eine Guillotine sei das Vorbild für sein Messehochhaus in Frankfurt gewesen, nicht gelten läßt, sondern es – noch makabrer – als Grabstein stilisiert und darauf das Todesdatum der Postmoderne einträgt (ist dies Peichls „self-fulfilling prophecy"?), ist ein kaum verhüllter Angriff auf den deutschen Zeitgenossen. Hans Hollein wird von Peichl als Affe karikiert, der die Messingpalmen in seinem heute nicht mehr existierenden Wiener Reisebüro erklettert, während sein neues museales Zuckerwerk einem unsichtbaren Gast (Peichl?) aufgetischt ist. Aldo Rossi im Clownskostüm als venezianischer Gondoliere stochert seinen mit Kaffeekanne und Gebäuden überladenen Kahn im Mondschein durch das Wasser. Peichl läßt James Stirling mit seinen vielen „aktuellen" Gebäuden als Illustrierten-verkäufer posieren. Herr „Girdiron" persönlich, Richard Meier (oder wenigstens eine rasterüberzogene Pappfigur von Meier), ist neben einem gerasterten Stilleben aufge-stellt – das Ganze ein Kommentar zu der von Meier behaup-teten Daseinsberechtigung seiner Architektur. Nur wenig schonender geht Peichl mit Robert Venturi um, dem er nahelegt, sich lieber in der Couture als in der Architektur zu betätigen. Wenn Peichl ihn als „Mode-Architekten" be-zeichnet, gelingt es ihm, ihn aus der Tradition seriöser Architektur, der er sich selbst offenkundig verpflichtet fühlt, zu verbannen.

Allem Anschein nach ist Peichl im Begriff, auch die rest-lichen Bäume in seinem architektonischen Wald zu fällen. Oder will er die Kollegen etwa aufrütteln zu einem Streben nach größeren Herausforderungen als den Aufgaben, mit denen sie sich ihm zufolge in ihrem architektonischen Schaffen befassen? Wie dem auch sei – wir können uns glücklich schätzen, daß Peichl sich als eine Art architektoni-sches Gewissen in seinem Phantasiegarten austobt; wenn es ihn nicht gäbe, müßten wir ihn erfinden.

Comments offered by one ironist on another
Stanley Tigerman

As an Austrian, Gustav Peichl is far more schizophrenic than any corresponding American would ever dream of becoming. On the one hand, his built work is rigorous, de-manding, and generally humourless without ever becom-ing boring. His Austrian radio stations and his Berlin water filtration plant, for example, are thorough studies into the material possibilities offered up hopefully by his Modernist antecedents. These works are refreshing examples of how Modernism still proposes ways in which buildings can evolve bereft of metaphor, metonymy, and all manner of semantic overload so common to Post-Modernist produc-tion.

Like all Modernist architecture, Peichl's buildings are opti-mistic in intention – produced, it would seem, so as to right all the wrongs preceeding these hygienically conceived works. Thus, Peichl presents himself as one of the heirs to those heroic figures born nearly one century ago who, like him, found Europe to be a suitable battleground in which to come to grips with an earlier elitism. They fought a kind of Stars War against the Darth Vaders of the Prince and the church, who were suppressing the emerging egalitar-ianism that they were to propose as the Zeitgeist of this century.

On the other hand, Peichl's ironic cartoons are nothing if not semantic in intention. These bizarre, often hysterical mean-derings seemingly come into being in order to remove him from the fray, by which he is able to establish both personal and professional distance from his peers. Thus, these won-derful visual comments are suspicious, even as they disarm. There is, in a word, a dark side to Peichl not appar-ent in his architectural production.

Peichl's drawings are "funny", but they are anything but flippant. Often, they present a hopelessness to which his architecture doesn't even vaguely allude. The downturned mouth of Vitruvius's improbable descendant reflects the frustration felt by the creature because of its inability to achieve closure – a sad commentary on the state of contem-poraneity.

Often, Peichl's drawing are purely subjectively responsive to the subject. Witness the "Neo-monumentalist" wearing Albert Speer's (cum Adolf Hitler's) great domed pantheon proposed for Berlin. Witness the "Casa Natalini" where Adolfo Natalini tries to entrap the user and to cage him behind his pervasive grid. Witness "Puzzle architecture" where the beholder is clearly trying to unravel the mysteries of Daniel Libeskind's brand of "Deconstructivist" architecture. Witness "Deconstructive pack" where Libeskind's IBA project has come to life as toothy creatures hungering after their fearful beholder.

Like all Europeans, Peichl does not neglect his dialectical origins. The cartoon depicting the happy versus sad clown shows the mindless joy of Post-Modernism versus the world-weariness of Deconstructivism. More pointedly anti-American are Peichl's paired (European) clowns looking across a (small) space (is it the Atlantic ocean?) towards yet another clown (clearly Michael Graves) whose Portlandia costume elicits wonderment from his European counterparts.

But it is Peichl's authoritative dispensing with his competition that is most pointed. His refusal to accept Oswald Mathias Ungers's explanation of a guillotine that inspired Ungers's skyscraper building for the Frankfurt Fair, displacing it into another, even more somber mode as a gravestone prophesying the death of Post-Modernism (is this Peichl's self-fulfilling prophecy?) is a not so veiled attack on his German contemporary. Presenting Hans Hollein as a kind of monkey, Peichl shows him climbing his brass palm trees in the now defunct Vienna travel agency. Hollein's most recent museum confection is about to be consumed by an absent diner (perhaps Peichl?). Aldo Rossi is garbed as a clowing Venetian gondolier conveying his coffee-pot-cum-buildings on a moonlit night across the water. Peichl has James Stirling posturing as a pamphleteer publicist with his many buildings being "newsworthy". And "Mr. Girdiron" himself – Richard Meier (or at least a gridded billboard version of Meier) propped up alongside a gridded still life – all as a commentary about Meier's perceived *raison d'être* for his architecture. Peichl is only a bit more subtle about Robert Venturi, whom he sees as more appropriately engaged in furniture design than in architecture. By refer-ring to him as "fashionable architect", he manages to dismiss him as a serious architect in the tradition to which Peichl clearly aspires.

So it is that Peichl proceeds to cut down the rest of the trees in his architectural forest. Or is it that he is really challenging his peers to aspire to greater challenges than he sees them addressing in their architectural production? Whatever the case, we are fortunate that Peichl romps in his invented garden as a kind of architectural conscience, for if he were not there at all, we would have to invent him.